Diversità di Lepidotteri nella APP BR·

Kelen Schelbauer

Diversità di Lepidotteri nella APP BR-116 da Mafra a Papanduva, SC

Farfalle e falene presenti nella regione

ScienciaScripts

Imprint

Any brand names and product names mentioned in this book are subject to trademark, brand or patent protection and are trademarks or registered trademarks of their respective holders. The use of brand names, product names, common names, trade names, product descriptions etc. even without a particular marking in this work is in no way to be construed to mean that such names may be regarded as unrestricted in respect of trademark and brand protection legislation and could thus be used by anyone.

Cover image: www.ingimage.com

This book is a translation from the original published under ISBN 978-3-330-77366-0.

Publisher:
Sciencia Scripts
is a trademark of
Dodo Books Indian Ocean Ltd. and OmniScriptum S.R.L publishing group

120 High Road, East Finchley, London, N2 9ED, United Kingdom
Str. Armeneasca 28/1, office 1, Chisinau MD-2012, Republic of Moldova, Europe

ISBN: 978-620-7-27924-1

Copyright © Kelen Schelbauer
Copyright © 2024 Dodo Books Indian Ocean Ltd. and OmniScriptum S.R.L publishing group

RICONOSCIMENTI

Diverse persone hanno contribuito a farmi arrivare fin qui. Non potevo non menzionarle con grande affetto, amore e amicizia.

Ringrazio Dio innanzitutto per essermi sempre accanto, guidandomi e proteggendomi con la luce divina.

Grazie mamma, per avermi aiutato in questo viaggio, per aver creduto in me fin da bambino e aver incoraggiato i miei studi, per avermi finanziato, per aver sopportato con pazienza i momenti difficili e aver reso possibile questo momento. Alle mie sorelle (Helen e Renata), a mio cognato (Leandro) per il loro sostegno e aiuto nel mio lavoro, e soprattutto per avermi aiutato a catturare le farfalle nel campo; al piccolo Louis per i suoi giochi e per avermi sempre svegliato la mattina.

A Cristiano, per il tuo affetto e il tuo sostegno nei momenti di sconforto, grazie per avermi aiutato nel lavoro e per avermi fatto compagnia in tutti questi anni. Anche io ti aiuterò per qualsiasi cosa tu abbia bisogno, amore.

Vorrei ringraziare tutti gli insegnanti per i loro insegnamenti, in particolare il mio consulente, il professor Mário Fritsch, per le informazioni che mi ha trasmesso, per le "tirate d'orecchio", per aver incoraggiato la mia ammirazione per le farfalle in modo che fosse possibile svolgere questo piacevole lavoro; e che una volta ha detto: "Fai qualcosa che ami, e non dovrai mai più lavorare nella tua vita". Che ha contribuito enormemente alla mia crescita.

A tutti i miei amici, in particolare alla mia amica Susiele, per avermi sempre aiutato, ascoltato e richiamato la mia attenzione quando sbagliavo, per quanto non volessi crederci. Grazie anche a tutti i miei compagni di classe per aver condiviso le loro angosce e le loro esperienze.

E la vita per il semplice fatto di esistere!

Grazie a tutti! Sappiate che ognuno di voi ha avuto un ruolo importante nel farmi crescere, evolvere e arrivare fin qui.

"Non ci saranno farfalle se la vita non attraverserà lunghe e silenziose metamorfosi".

(Rubens Alves)

SOMMARIO

L'ordine dei Lepidotteri è un buon strumento per la biologia della conservazione, poiché è sensibile alle variazioni ambientali. Svolgono inoltre un ruolo importante in molti processi di impollinazione e costituiscono importanti livelli trofici nella catena alimentare. Sono importanti negli ecosistemi per le loro interazioni con la vegetazione e la fauna. Lo scopo di questo studio è stato quello di determinare le famiglie di farfalle (Lepidoptera) nelle aree di conservazione permanente (APP) lungo l'autostrada BR-116, da Mafra a Papanduva, SC. Le raccolte sono state effettuate da marzo a settembre, con uno sforzo di campionamento di 27 ore. In totale sono stati registrati 138 individui appartenenti a dieci famiglie. È stato osservato che l'APP km 031 + 815 ha mostrato la maggiore diversità, con sette famiglie (Acracidae, Danaidae, Heliconidae, Morphoidae, Nymphalidae, Pieridae, Satyridae). Le APP km 026 + 780 e km 061 + 925 hanno presentato la diversità più bassa, con una sola famiglia registrata (Saturidae). Nelle APP esaminate erano presenti farfalle delle famiglie Acracidae, Danaidae, Hesperiidae, Heliconidae, Lycaenidae, Morphoidae, Nymphalidae, Pieridae, Riodinidae e Satyridae.

Parole chiave: Diversità. Lepidotteri. Area di Conservazione Permanente - APP. Impollinazione.

SOMMARIO

CAPITOLO 1

INTRODUZIONE

1.1 PRESENTAZIONE DEL TEMA

Gli insetti dell'ordine dei lepidotteri attirano l'attenzione per i loro colori e la loro varietà, che li rende molto interessanti e ammirevoli per le persone. Le farfalle hanno anche una moltitudine di significati legati all'anima, alla trasformazione, alla libertà e alla morte nelle culture antiche.

Sono caratterizzati dalle squame sulle ali, da cui deriva il nome dell'ordine. Le specie dell'ordine dei Lepidotteri sono molto importanti per la diagnosi della qualità ambientale, perché sono facili da identificare in natura e hanno un ciclo vitale rapido, che le rende molto sensibili ai cambiamenti. Inoltre, svolgono un ruolo fondamentale nelle interazioni ecologiche, nella catena alimentare e nell'impollinazione attraverso lo scambio di materiale genetico.

Va notato che finora non è stato condotto alcuno studio sulla diversità dei lepidotteri presenti nell'area di studio proposta, pertanto si è deciso di realizzare questa ricerca per fornire sussidi alla conoscenza scientifica.

1.2 PROBLEMA

Quali famiglie di Lepidotteri (farfalle) si trovano nelle Aree di Conservazione Permanente (APS) lungo l'autostrada BR-116, da Mafra a Papanduva, SC?

1.3 CONTESTO

Lo scopo di questo studio è stato quello di censire le famiglie di Lepidotteri (farfalle) presenti nelle Aree di Conservazione Permanente (APS) lungo l'autostrada BR-116, da Mafra a Papanduva, SC.

L'ordine dei Lepidotteri è ampiamente utilizzato negli studi e nelle indagini sullo stato di conservazione delle foreste, in quanto sono molto sensibili alle variazioni ambientali, oltre ad essere facilmente identificabili nell'ambiente, abbondanti e con un ciclo vitale rapido, per cui il monitoraggio dei lepidotteri diventa uno strumento molto importante in Biologia della Conservazione.

I lepidotteri hanno una grande importanza ecologica in molti processi di impollinazione e costituiscono importanti livelli trofici nella catena alimentare. I fiori presentano un insieme di caratteristiche che li condizionano a essere utilizzati più frequentemente da uno o dall'altro potenziale agente impollinatore: si tratta delle cosiddette sindromi di impollinazione.

L'impollinazione è il processo di trasferimento del polline dalle antere di un fiore allo stigma, che può provenire dallo stesso fiore (autoimpollinazione), che può avvenire senza la necessità di un agente impollinatore o con la sua partecipazione, o da un altro fiore della stessa specie (impollinazione incrociata), sempre con la partecipazione di un agente impollinatore, come vento, uccelli, insetti o altro. Il granello di polline feconda l'ovulo per formare il seme, mentre l'ovario si sviluppa per formare il frutto (EMBRAPA, 2013). L'impollinazione incrociata comporta lo scambio di materiale genetico tra le specie, il che significa che non esistono due organismi uguali, il che li rende più resistenti alle variazioni ambientali.

Alcune specie di Lepidotteri dipendono esclusivamente da una specie vegetale, il che le rende sensibili alle variazioni dell'ambiente; possono quindi essere considerate specie indicatrici della qualità ambientale.

L'importanza di questo lavoro è il contributo che darà alla verifica delle condizioni di rigenerazione della vegetazione nelle Aree di Conservazione Permanente (APS) che circondano l'autostrada, tenendo conto che i lepidotteri sono importanti negli ecosistemi tropicali per le loro interazioni con la vegetazione (GILBERT, 1984 *apud* RAFAEL *et al.*, 2012). Tuttavia, la conoscenza della biologia di questi insetti può aiutarci a comprendere innumerevoli processi (come l'impollinazione) che mantengono direttamente o indirettamente la sopravvivenza di molti altri organismi, compresa la specie umana (RAFAEL *et al.*, 2012).

1.4 OBIETTIVI

1.4.1 Obiettivo generale

Determinare le famiglie di Lepidotteri (farfalle) nelle Aree di Conservazione Permanente (APP) nel tratto dell'autostrada BR-116, da Mafra a Papanduva, SC.

1.4.2 Obiettivi specifici

- Determinare le famiglie di lepidotteri (farfalle) presenti nell'area di studio; - Dimostrare la diversità dei lepidotteri (farfalle) presenti lungo il tracciato dell'autostrada;
- Fornire informazioni sull'entomofauna dei lepidotteri (farfalle) della regione;
- Contribuire al monitoraggio e alla conservazione delle APP lungo il tratto attraverso informazioni sugli agenti impollinatori presenti nelle aree.

CAPITOLO 2

QUADRO TEORICO

2.1 AUTOPISTA

Dal 2008, Autopista Planalto Sul è la società responsabile dei 412,7 chilometri dell'autostrada federale BR-116, che collega la città di Curitiba/PR al confine tra gli Stati di Santa Catarina e Rio Grande do Sul. L'autostrada è stata costruita tra gli anni Quaranta e Cinquanta.

La concessione per la gestione del tratto è stata ottenuta tramite un'asta tenutasi il 9 ottobre 2007 e ha una durata di 25 anni.

Il percorso attraversa i comuni di Fazenda Rio Grande, Mandirituba, Quitandinha, Campo do Tenente e Rio Negro, nello stato di Paraná. Mafra, Itaiópolis, Papanduva, Monte Castelo, Santa Cecília, Ponte Alta do Norte, São Cristóvão do Sul, Ponte Alta, Correia Pinto, Lages e Capão Alto, nello Stato di Santa Catarina.

2.2 DIVERSITÀ DEI LEPIDOTTERI (FARFALLE) NELLE AREE DI CONSERVAZIONE PERMANENTE

2.2.1 Phylum Arthropoda

La caratteristica principale degli insetti del Phylum Arthropoda è la presenza di appendici articolate, dal greco *arthron* = articolazione + *podos* = piedi, uno dei più popolosi con circa 1.000.000 di specie conosciute, che lo rendono il più grande phylum del regno animale.

Sono animali triblastici, protostomi e celomati. A parte gli anellidi, sono gli unici invertebrati con segmenti metamerici, ma non hanno setti intersegmentali. Durante lo sviluppo embrionale, alcuni metameri possono fondersi, rendendo difficile la visualizzazione dei segmenti. Con
simmetria bilaterale, il corpo è organizzato in testa, torace e addome o cefalotorace e addome, con sei zampe distribuite in tre coppie, attaccate al torace.

Hanno un apparato digerente completo, con mascelle adatte alla masticazione o alla suzione. Hanno un sistema circolatorio di tipo lacunare o aperto, in cui il cuore è dorsale e pompa l'emolinfa verso l'estremità anteriore, raggiungendo le lacune corporee o emoceli; il ritorno dell'emolinfa avviene attraverso orifizi laterali chiamati ostia.

Respirazione attraverso la superficie corporea, le branchie, le trachee (tubi aerei) o i polmoni foliacei. Sistema escretore con ghiandole escretrici accoppiate (ghiandole coxali, antennali o mascellari), alcune con tubuli malpighiani.

Sistema nervoso formato da un ganglio dorsale collegato da un anello che circonda il tubo digerente a una doppia catena nervosa ventrale composta da gangli segmentali; in alcune specie si verifica la fusione dei gangli; organi sensoriali ben sviluppati (HICKMAN *et al.*, 2013).

Sessi separati, con organi riproduttivi accoppiati e un sistema di dotti. Con fecondazione interna, ovipari o ovovivipari, metamorfosi frequenti, partenogenesi in alcuni casi (HICKMAN *et al.*, 2013).

L'intera superficie esterna del corpo è ricoperta da un esoscheletro di chitina secreto dall'epidermide, un polisaccaride azotato ($C_8H_{18}O_5N$) insolubile in acqua, alcol, acidi diluiti o nei succhi digestivi di altri animali. L'esoscheletro limita la crescita del phylum e richiede un cambiamento periodico per la crescita, chiamato muta o ecdisi. L'esoscheletro abbandonato è chiamato esuvia. Il suo principale successo è dovuto all'esoscheletro, che lo protegge da predatori e parassiti, lo isola dall'ambiente e lo protegge dal disseccamento.

2.2.1.1 Classificazione del Phylum Arthropoda

Secondo Hickman *et al*, 2013, il phylum Arthropoda si divide in:

- Subphylum 1 - Trilobiti: trilobiti, dal Cambriano al Carbonifero, tutti estinti; corpo diviso in testa, torace e addome e con due linee longitudinali che segnano tre lobi del corpo - destro, sinistro e mediano.

- Subphylum 2 - Chelicerata: euripteridi, patelle, ragni, zecche. Il primo paio di appendici modificato in cheliceri; un paio di pedipalpi e quattro paia di zampe; assenza di antenne e mandibola, generalmente il cefalotorace e l'addome non segmentati.

I. Classe Merostomata - chelicerati acquatici. Cefalotorace e addome; occhi composti laterali, appendici con branchie; telson appuntito.

1. Sottoclasse Eurypteria - scorpione marino gigante (estinto).

2. Sottoclasse Xiphosurida - limulus. Esempio: *limulus*.

II. Classe Pycnogonida - ragni marini. Piccoli, da 3 a 4 mm, ma alcuni raggiungono i 500 mm; corpo sostanzialmente ridotto al cefalotorace; addome minuscolo; di solito con quattro paia di lunghe zampe motrici (alcuni con 5 o 6 paia); bocca situata su una lunga proboscide; quattro occhi semplici; nessun sistema respiratorio o escretore. Esempio: *Pycnogonum*.

III. Classe Arachnida - scorpioni, ragni, acari, zecche, opilioni. Quattro paia di zampe; addome segmentato o meno, con o senza appendici e generalmente distinto dal cefalotorace; respirazione attraverso branchie, trachee o polmoni foliacei; escrezione attraverso tubuli malpighiani o ghiandole coxali; cervello bilobato dorsale collegato a una massa gangliare ventrale di nervi, occhi semplici; principalmente ovipari, senza vera metamorfosi. Esempi: *Argiope*, *Centruroides*.

- Subphylum 3 - Myriapoda: miriapodi. Appendici unirremi, appendici costituite da un paio di antenne, un paio di mandibole e due paia di mascelle.

I. Classe Diplopoda - pidocchi dei serpenti. Corpo quasi cilindrico; testa con antenne corte e occhi semplici; corpo con un numero variabile di somiti; zampe corte, di solito due paia di zampe per somite; oviparo. Esempi: *Julus*, *Spirobolus*.

IV. Classe Chilopoda - millepiedi. Corpo appiattito dorsoventralmente; numero variabile di somiti, ciascuno con un paio di zampe; un paio di lunghe antenne; oviparo. Esempi: *Cermatia*, *Litbobius*, *Geopbilus*.

V. I. Classe Pauropoda - pauropodi. Misurano da 1 a 1,5 mm; corpo cilindrico composto da doppi segmenti e con 9 o 10 paia di zampe; non hanno occhi. Esempi: *Pauropus*, *Allopauropus*.

VI. Classe Symphyla - sifidi. Snelli, lunghi da 1 a 8 mm, con antenne lunghe e filiformi; corpo composto da 15-22 segmenti con 10-12 paia di zampe; senza occhi. Esempio: *Scutigerella*.

- Subphylum 4 - Crustacea: crostacei. Prevalentemente acquatici, con branchie, cefalotorace solitamente con carapace dorsale, appendici birifrangenti. Appendici cefaliche costituite da due paia di antenne, un paio di mandibole e due paia di mascelle.

I. Classe Remipedia - remipedi. Carapace assente; protopoditi con un solo articolo; antennule e antenne birre; tutte le appendici del tronco simili; appendici cefaliche grandi e raptatorie; segmento mascellare fuso alle appendici cefaliche; tronco non regionalizzato. Esempio: *Speleonectes*.

II. Classe Cephalocarida - Cefalocaridi. Carapace assente; filipodi, protopodi uniarticolati; antennule unirremi e antenne birremi; occhi composti assenti; appendici toraciche. Esempio: *Hutchinsoniella*.

III. Classe Branchiopoda - Branchiopodi. Carapace presente o assente; maxillipedi assenti; antennule ridotte; occhi composti presenti; appendici addominali assenti; mascella ridotta.
  - Ordine Anostraca - Artemia. Esempi: *Artenia*, *Branchinecta*.
  - Ordine Notostraca - Esempi: *Triops*, *Lepidurus*.
  - Ordine Diplostraca - Pulci d'acqua. Esempi: *Daphnia*, *Leptodora*, *Lynceus*.

IV. Classe Ostracoda - ostracodi. Carapace bivalve che avvolge interamente il corpo; corpo non segmentato o con segmentazione indistinta; non più di due paia di appendici sul tronco. Esempi: *Cypris*, *Cypridina*, *Gigantocypris*.

V. Classe Maxillopoda - maxillopodi. Generalmente con cinque segmenti cefalici, sei toracici, quattro addominali più un telson, sebbene siano comuni riduzioni; assenza di appendici vistose sull'addome; occhio del nauplio a struttura singola; carapace presente o assente.

Sottoclasse 1: Mystacocarida - carapace assente; il corpo ha testa e tronco con dieci segmenti; telson con rami a forma di tenaglia; appendici cefaliche quasi identiche, ma antenne e mandibole birrine, altre appendici cefaliche unirine; piccole appendici uniarticolate dal secondo al quinto segmento del tronco. Esempio: *Derocheilocaris*.

Sottoclasse 2: Copepoda - Copepodi. Carapace assente; torace con sette segmenti, di cui il primo, e talvolta il secondo, è fuso con il capo a formare un cefalotorace; antennule non irrelate; antenne non irrelate o birre; quattro o cinque paia di appendici natatorie; forme parassitarie spesso molto modificate. Esempi: *Ciclopi*, *Diaptomus*, *Calanus*.

Sottoclasse 3: Tantulocarida - appendici cefaliche irriconoscibili, ad eccezione delle antenne della femmina nella forma riproduttiva; uno stiletto cefalico mediano solido; sei somiti toracici liberi, tutti con un paio di appendici, le cinque birre anteriori; sei segmenti addominali; sono ectoparassiti minuscoli simili ai copepodi. Esempi: *Basipodella*, *Deoterbron*.

Sottoclasse 4: Branchiura - corpo ovale, testa e gran parte del tronco coperti da un carapace appiattito, incompletamente fuso con il primo segmento toracico; torace con quattro paia di appendici birrine; addome bilobato non segmentato; occhi composti; antenne e antennule ridotte; le mascelle spesso formano ventose. Esempi: *Argulus*, *Chonopeltis*.

Sottoclasse 5: Pentastomida - Pentastomidi. Corpo vermiforme non segmentato, con cinque piccole protuberanze anteriori, quattro dotate di chele e la quinta di bocca con ventose. Esempi: *Linguatula*, *Armillifer*.

Sottoclasse 6: Cirripedia - cirripedi. Sessili o parassiti da adulti; capo ridotto e addome rudimentale; occhi pari composti assenti; corpo con segmentazione indistinta; in generale, ermafroditi; nelle forme a vita libera, il carapace diventa un organo per attaccarsi al substrato e poi scompare. Esempi: *Balanus*, *Policipes*, *Sacculina*.

VI. Classe Malacostraca - generalmente con otto segmenti sul torace e sei segmenti più il telson sull'addome; appendici su tutti i segmenti; antennule spesso birrine; la prima delle appendici toraciche iniziali, o fino a tre di esse, sono spesso maxillipedi; il carapace ricopre il capo e parzialmente o totalmente il torace, a volte assente; le branchie sono generalmente epipoditi toracici.

- Ordine Isopoda - isopodi.

- Ordine Amphipoda - anfipodi.
- Ordine Euphausiacea - krill.
- Ordine Decapoda - gamberi, granchi e aragoste.

- Subphylum 5 - Hexapoda: esapodi, corpo diviso in capo, torace e addome distinti, un paio di antenne, apparato boccale modificato, capo con sei somiti fusi, torace con tre somiti, addome con un numero variabile di somiti. Torace solitamente con due paia di ali e tre paia di zampe articolate, dioico, solitamente oviparo, metamorfosi graduale o brusca.

I. Classe Entognatha: la base dell'apparato boccale è all'interno della capsula cefalica; le mandibole hanno un'articolazione.
   - Ordine di protura - proturos
   - Ordine Diplura - dipluros.
   - Ordine Collembola - code a molla.

II. Classe Insecta - le basi dell'apparato boccale sono esposte, al di fuori della capsula cefalica; le mandibole hanno di solito due regioni di articolazione.

Sottoclasse 1: Apterygota - insetti più primitivi.
- Ordine Thysanura - falene.

A. Infraclasse di Paleotteri: le ali non si ripiegano sul corpo; articolazione tramite placche ascellari fuse.
   - Ordine Ephemeroptera: effimera.
   - Ordine Odonata - libellule.

B. Infraclasse Neoptera: ripiegamento delle ali sul corpo; articolazione mediante scleriti mobili alla base dell'ala.
   - Ordine degli Ortotteri - cavallette, grilli, cavallette, tramogge.
   - Ordine Blattodea - scarafaggi.
   - Ordine Phasmatodea - tarli del legno e tarli delle foglie.

   - Ordine Mantodea - mantide religiosa.
   - Ordine Mantophasmatodea - gladiatori.
   - Ordine Desmaptera - forbici.
   - Ordine Plecoptera - plecotteri.

- Ordine Isoptera - termiti.
- Ordine embiidina - embiidi.
- Ordine Psocoptera - pidocchi dei libri.
- Ordine Zoraptera - zorapters.
- Ordine Phthiraptera - pidocchi.
- Ordine Thysanoptera - lacerdinie o tripodi.
- Ordine Hemiptera - cimici, cicale, afidi, jequitiranaboia, cocciniglie.
- Ordine Neuroptera - formiche leonine, mosche della sabbia.
- Ordine dei Coleotteri - coleotteri, lucciole, tonchiotti.
- Ordine Strepsiptera - Strepsipterans.
- Ordine Mecoptera - mecotteri.
- Ordine Lepidoptera - farfalle e falene.
- Ordine dei Ditteri - mosche e zanzare.
- Ordine Trichoptera - mosca acquatica, frigana.
- Ordine Siphonaptera - pulci.
- Ordine degli Imenotteri - formiche, api e vespe.

2.2.2 Classe Insecta

Gli Insecta (gr. *insectus,* segmentato), corrispondono a più di 1,1 milioni di specie catalogate; gli esperti stimano che ci possano essere circa 30 milioni di specie, ci sono più insetti che tutte le altre classi di animali messe insieme (HICKMAN *et al*, 2013).

Gli insetti si distinguono dagli altri gruppi di animali per l'apparato boccale ectogino e per la presenza di due paia di ali, anche se alcuni ne hanno un paio e altri sono primitivamente o secondariamente apteri. Le loro dimensioni possono variare da 1 mm a 20 cm. Sono gli unici invertebrati con la capacità di volare, il che facilita la fuga dai nemici, la cattura di prede e la ricerca di compagni. Le ali degli insetti sono formate da proiezioni della parete del corpo e le prove fossili suggeriscono che gli insetti potrebbero aver sviluppato ali funzionali più di 400 milioni di anni fa.

Si diffondono praticamente in tutti gli *habitat*. Essendo relativamente piccole, possono essere trasportate dall'acqua e dall'aria in altre regioni. Le loro uova, se ben protette, possono resistere a condizioni difficili. Il loro successo è dovuto a caratteristiche come le ali, la cuticola impermeabile, i meccanismi per ridurre al minimo la perdita di acqua e la capacità di diventare dormienti durante le condizioni avverse (HICKMAN *et al*, 2013).

L'alimentazione è molto varia tra gli insetti e l'apparato boccale è specializzato per ogni tipo di cibo. Respirano attraverso un sistema tracheale. L'escrezione avviene attraverso i tubuli malpighiani. I sessi sono separati e la fecondazione è generalmente interna. Quasi tutti subiscono la metamorfosi, che può essere emimetabola (graduale), in cui gli adulti emergono dall'ultima muta dello stadio di ninfa, e olometabola (completa), in cui l'ultima muta larvale dà origine alla pupa (uno stadio che non si nutre) e l'adulto emerge dall'ultima muta effettuata dalla pupa.

Sono responsabili dell'impollinazione di tutte le piante fanerogame sulla terra. Servono come cibo per altri animali. Nei cadaveri possono essere utilizzati per stimare l'ora della morte con la successione degli insetti (entomologia forense). Ricevono un'attenzione particolare perché molti sono dannosi per le colture e gli alimenti.

2.2.3 Ordine Lepidoptera

L'ordine dei Lepidotteri è una delle suddivisioni della classe Insecta. Composto da farfalle e falene, sono ben noti e facilmente riconoscibili per le squame sulle ali.

Sono olometaboli, ovipari e attraversano il ciclo vitale di uovo, larva, pupa, imago e adulto. Durante il periodo larvale sono chiamati anche bruchi. In generale, il corpo dei bruchi è cilindrico e composto da tredici segmenti - tre toracici e dieci addominali - e da una testa ben differenziata, di solito con sei ocelli e un paio di piccole antenne, oltre a un apparato boccale specializzato per la macinazione.

> I bruchi sono strettamente legati alle loro piante ospiti e ogni specie di bruco si nutre di una specifica specie o famiglia di piante. Pertanto, la presenza di una specie di farfalla in un determinato luogo indica la presenza delle specie vegetali di cui si nutrono i bruchi (piante ospiti) e le farfalle possono quindi essere utilizzate per indicare la presenza di specie vegetali (DA SILVA, 2008).

Ogni segmento toracico ha un paio di zampe; i segmenti addominali 3-6 e 10 di solito hanno un paio di false zampe, che si differenziano per essere più carnose e con una segmentazione diversa e di solito hanno piccoli uncini o artigli alle estremità (BORROR e DELONG, 1969). Il corpo del bruco può avere o meno degli aculei che, quando si rompono al contatto, comunicano con alcune ghiandole epidermiche della pelle del bruco, che rilasciano un liquido urticante e causano la bruciatura della pelle.

La pupa o crisalide è lo stadio che precede la forma adulta. Nello stadio pupale, l'insetto smette di nutrirsi, il bruco compie l'ultima muta e si rimpicciolisce fino a formare la pupa o crisalide, e l'insetto metamorfosa. In questa fase, alcuni insetti si appendono a un filo di seta tessuto da loro stessi, altri tessono un bozzolo per proteggersi, altri ancora si avvolgono nelle foglie e si seppelliscono nel terreno. Quando emergono dalla pupa, la farfalla o la falena apre le ali e la membrana diventa secca e può quindi volare. La durata dello stadio pupale varia a seconda della specie.

Gli adulti hanno ali con squame responsabili della colorazione dell'animale. Occhi composti relativamente grandi con un gran numero di sfaccettature o omatidi.

La maggior parte delle falene ha due ocelli vicino al bordo degli occhi. La spirotromba (Figura 1) serve per aspirare il cibo, che può essere nettare (nettarivoro) o frutta in decomposizione (frugivoro).

> Il gruppo nettarifero, che si nutre di nettare, comprende le famiglie Papilionidae, Pieridae, Lycaenidae, Hesperiidae e alcune sottofamiglie di Nymphalidae; e il gruppo frugivoro, che si nutre di frutta fermentata ed essudati vegetali, escrementi e carcasse, che comprende la maggior parte dei ninfalidi appartenenti alle sottofamiglie Satyrinae, Brassolinae, Morphinae, Charaxinae, Biblidinae e alcune tribù di Nymphalinae (FREITAS *et al.*, 2006. *apud* SANDES e PALUCH, 2009).

Quando si nutrono, finiscono per svolgere un ruolo importante nell'impollinazione, garantendo lo scambio di materiale genetico tra le specie perché non esistono due organismi uguali, il che li rende più resistenti alle variazioni ambientali. Alcune specie, come il baco da seta, hanno l'apparato boccale atrofizzato, il che significa che non si nutrono da adulti, ma riescono a sussistere con le riserve nutrizionali che accumulano nello stadio larvale.

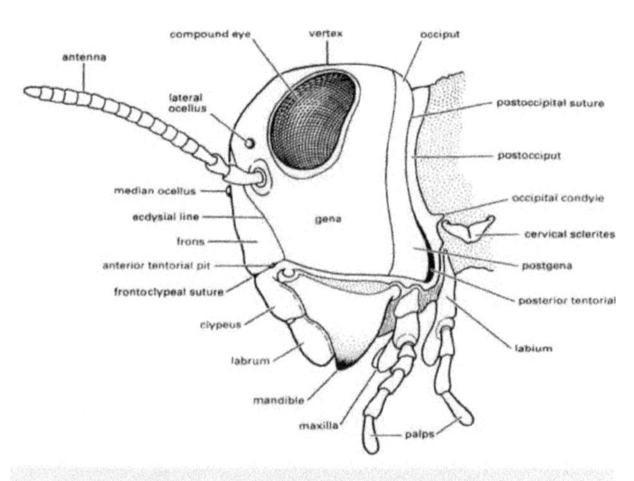

Figura 1 - Morfologia esterna della testa dei Lepidotteri
Fonte: TORRE, 2014

2.2.3.1 Classificazione dei Lepidotteri

Una delle prime divisioni dell'ordine dei Lepidotteri in due sottordini Rhopalocera (farfalle) ed Heterocera (falene), basata principalmente sulle caratteristiche delle antenne.

Tenendo conto della venatura, McDunnough (1938,1929) e Forbes (1923, 1948, 1954) hanno organizzato l'ordine in due sottordini Jugatae o Homoneura e Frenatae o Heteroneura (BORROR e DELONG 1969). Il sottordine Jugatae presenta venature simili sulle ali anteriori e posteriori e ha un giogo e nessun frenulo. I Frenatae hanno un frenulo, nessun giogo e venature ridotte sulle ali posteriori.

In sequenza, l'ordine è stato disposto in base alle dimensioni medie degli insetti come microlepidotteri e macrolepidotteri.

Le disposizioni più recenti separano i Micropterigidae in un proprio sottordine e negli Zeugloptera (che alcuni considerano un ordine correlato ai Lepidoptera e ai Trichoptera), mentre gli altri Lepidoptera sono divisi in due sottordini, iMonotrysia e Ditrysia, basati principalmente sul numero di aperture genitali femminili (TRIPLEHORN e JOHNSON, 2011).

La *lista di controllo di* Hodges *et al.* (1983), presentata da Triplehorn e Johnson (2011), mostra la divisione dell'ordine in famiglie e superfamiglie.

Nella revisione di Kristensen *et al.* (2007) presentata da Rafael (2012), sono state abbandonate le categorie superiori delle superfamiglie (Figura 2), che costituivano una gerarchizzazione arbitraria, in cui era ridondante utilizzare nomi per sottordini con una superfamiglia e una famiglia, come Zeugloptera, Aglossata e Heterobathmiina e Heterobathmioidea. Glossata, Coelolepida e Myoglossata sono indicati semplicemente come cladi. Sono state fatte molte sistemazioni, ma le più recenti sono classificazioni sperimentali.

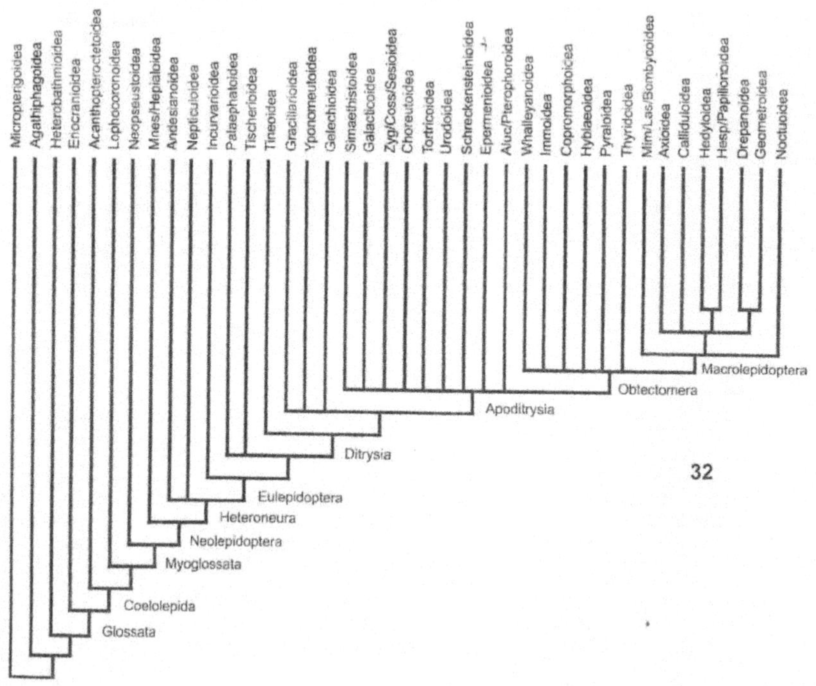

Figura 2 - Filogenesi delle attuali superfamiglie di Lepidotteri
Fonte: RAFAEL, 2012

2.2.3.2 Caratteri utilizzati nella classificazione dei Lepidotteri

I principali caratteri utilizzati per identificare i lepidotteri adulti sono la venatura, la forma, la modalità di accoppiamento e le scaglie alari. Sono importanti anche le antenne, l'apparato boccale, la presenza o l'assenza di ocelli, le zampe, i genitali, l'addome e le caratteristiche generali come le dimensioni e il colore (TRIPLEHORN e JOHNSON, 2011).

2.2.3.3 Le ali

Le ali di ciascun lato operano insieme attraverso una serie di meccanismi fondamentali: fibula, giogo, frenulo e angolo omerale. La fibula (Figura 2B, *fib*) è un piccolo lobo alla base delle ali anteriori, che si sovrappone alla base delle ali posteriori.

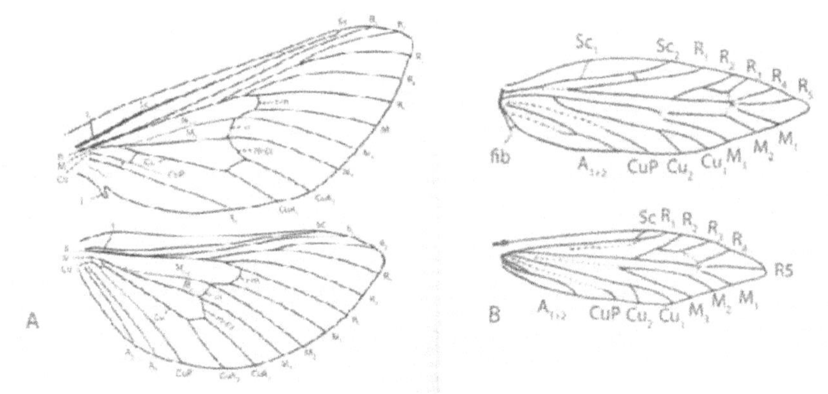

Figura 3 - A, venatura dell'omoneura di *Sthenopis* (Hepialiade), *j*, giogo; B, *Micropterys* (Micropterigidae), *fib*, fibula

Fonte: TRIPLEHORN e JOHNSON, 2011

Il giogo (Figura 2A, *j*) è un piccolo lobo digitiforme alla base delle ali anteriori che si sovrappone alla base del bordo anteriore delle ali posteriori. Il frenulo è una setola (maschi) o un gruppo di setole (femmine) che origina dall'angolo omerale dell'ala posteriore (Figura 2, *f*). L'angolo omerale è la porzione basale anteriore delle ali. La maggior parte dei lepidotteri ha ali anteriori più o meno triangolari e ali posteriori arrotondate (TRIPLEHORN e JOHNSON, 2011). Le ali sono rinforzate da una serie di venature sclerificate e il modello di venatura delle ali viene utilizzato per la tassonomia come mezzo di identificazione.

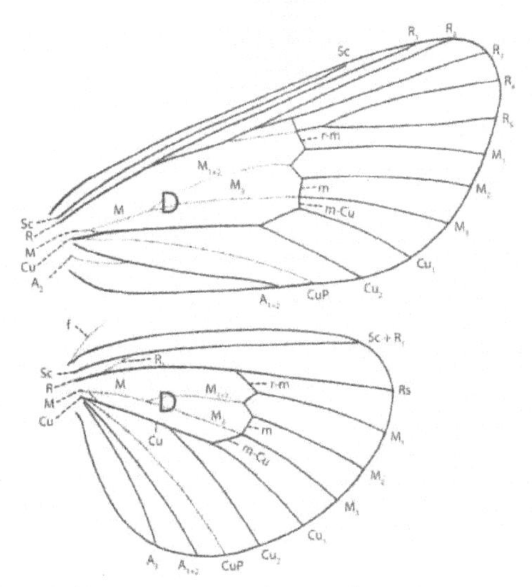

Figura 4 - Venatura eteroneurale generalizzata. Le vene rappresentate dalle linee tratteggiate sono atrofizzate o perse in alcuni gruppi. *D*, cellula del disco; *f*, frenulo

Fonte: TRIPLEHORN e JOHNSON, 2011

1.1.1.1.1 Venatura alare

La terminologia più diffusa basata sulla venatura delle ali è il sistema Comstock-Needham (Comstock e Needham 1898, 1899) spiegato da Triplehorn e Johnson, 2011. Il sistema riconosce una serie di sei principali vene longitudinali dell'ala: costa (C) sul margine principale dell'ala, seguita da sottocosta (Sc), radio (R), mediana (M), ulna (Cu) e vene anali (A). Ad eccezione della costa, le vene possono ramificarsi; la subcosta può ramificarsi una sola volta. I rami delle vene longitudinali sono numerati da anteriori a posteriori con cifre in pedice. Le vene trasversali collegano le vene longitudinali principali e sono denominate di conseguenza. Gli spazi della membrana alare sono chiamati celle, che possono essere aperte o chiuse.

Secondo il sistema di Comstock citato da Triplehorn e Johnson, 2011, nell'ordine dei Lepidotteri esistono due tipi di venatura: venatura omoneura e venatura eteroneura.

Homoneura è la venatura simile sulle ali anteriori e posteriori, con lo stesso numero di rami R su entrambe (Figura 2A). È presente nelle superfamiglie Micropterigoidea, Eriocranioidea, Acanthopteroctetoidea ed Hepialioidea. Presentano una vena subcostale a uno o due rami, una vena radiale a cinque o talvolta a sei rami, una vena mediana a tre rami e tre vene anali.

Heteroneura la venatura delle ali posteriori è ridotta e Rs non è ramificata (Figura 3), come invece accade nelle altre sottofamiglie. La radiale delle ali anteriori ha cinque rami o talvolta meno, nelle ali posteriori il settore radiale non è ramificato e R1 si fonde con la subcosta. La porzione basale della mediana è spesso atrofizzata, facendo sì che la cellula discale occupi la parte centrale dell'ala. La prima vena anale è spesso atrofizzata o fusa con A2. La sottocosta delle ali anteriori è quasi sempre libera rispetto alla cellula discale e si trova tra questa e la costa. I rami radiali hanno origine sul margine anteriore della cellula discale o fino al suo bordo superiore. I rami radiali sono spesso peduncolati (fusi) per una certa distanza oltre la cellula discale. Ci sono casi in cui alcuni rami della radiale si fondono nuovamente oltre i loro punti di separazione per formare cellule accessorie (Figura 4, *acc*).

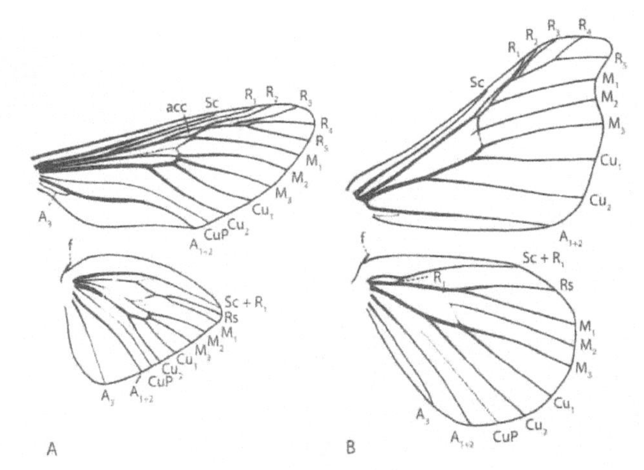

Figura 5 - A, ali di *Prionoxystus* (Cossidae); B, ali di *Bombyx*) Bombycidae. *acc*, cellula accessoria; *f*, frenulo
Fonte: TRIPLEHORN e JOHNSON, 2011

I tre rami della mediana hanno origine all'apice della cellula discale in entrambe le ali. Il punto di origine di M2 è una caratteristica importante per distinguere i diversi gruppi: quando si origina a metà del margine esterno della cella discale, o anteriormente al punto medio, la vena cubitale sembra avere tre rami; quando M2 si origina più vicino a M1, la vena cubitale sembra avere quattro rami.

Negli eteroneuroni la variazione della venatura riguarda principalmente la fusione di Sc + R1 e il numero di vene anali. In alcuni casi R è separato da Sc alla base dell'ala e R1 appare come una vena tra Rs e Sc e lungo il margine superiore della cellula discale (Figura 3B). R1 si fonde anche con Sc e, a giudicare dalla tracheazione pupale, la vena che raggiunge il margine dell'ala è Sc - la trachea di R1 è sempre piccola, questa vena al margine è chiamata Sc + R1. Sc e R in molti casi sono fuse alla base o possono essere separate alla base e fuse per un breve tratto lungo il margine superiore della cellula discale. La maggior parte degli autori chiama la 1ª di Comstock (1940) la CuP; la 2A la A_{1+2} e la 3A la A_3 .

2.2.3.3 Antenne

I Lepidotteri hanno antenne allungate di forma diversa. Sulla base di questo organo sensoriale, si può fare una rapida distinzione tra farfalle e falene. Le antenne delle farfalle sono sottili e gonfie all'apice, mentre quelle delle falene sono filiformi, setacee o piumose (Figura 6).

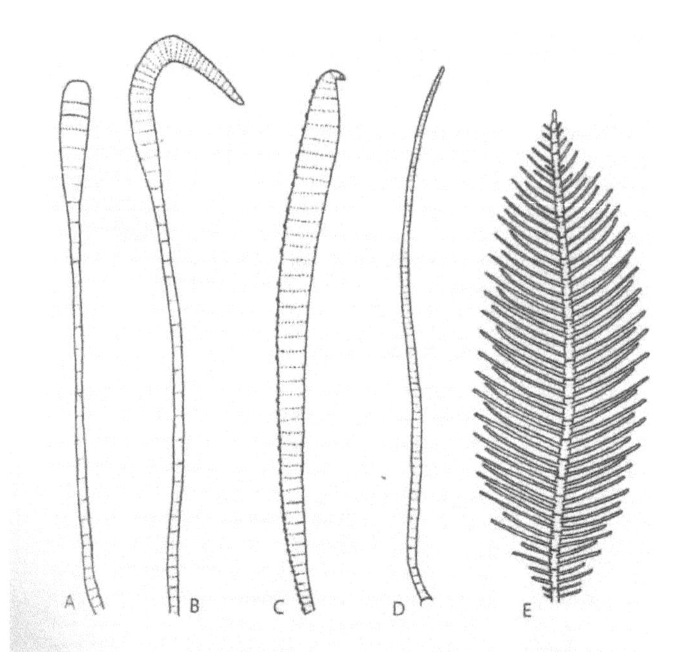

Figura 6 - Antenne di Lepidotteri. A, *Colias* (Pieridae); B, *Epargyreus* (Hesperidae); C, *Hemaris* (Sphingidae); D, *Drasteria* (Noctuidae); E, *Callasamia* (Saturnidae).
Fonte: TRIPLEHORN e JOHNSON, 2011

2.2.3.4 Gambe

Le caratteristiche delle zampe utilizzate per l'identificazione sono gli speroni tibiali e tarsali semplici o bifidi, la presenza o meno di spine sulle zampe e talvolta la struttura dell'epifisi (una struttura mobile simile a uno sperone sulla superficie interna delle zampe anteriori). In alcune farfalle le zampe anteriori sono molto corte, in particolare nei Nymphalidae (Danaidae, Satyridae e Libytheinae) e nei maschi dei Riodininae.

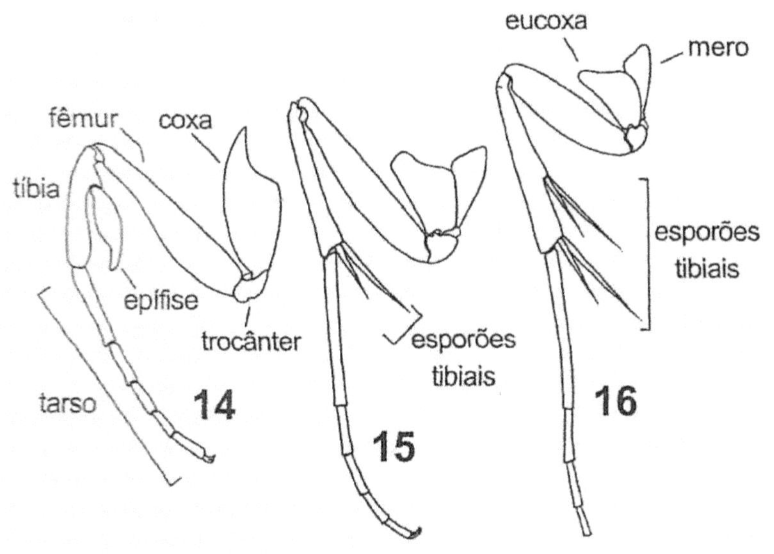

Figura 7 - Morfologia esterna delle zampe
Fonte: RAFAEL, 2012

2.3 POLLINIZZAZIONE

Le testimonianze fossili mostrano che i primi fiori presentano caratteristiche che indicano l'impollinazione da parte di insetti: antere piccole, scarsa produzione di *polline*, presenza di *pollenkitt* nel chicco (che lo aiuta ad aderire all'impollinatore) e dimensioni del chicco di polline inadatte all'anemofilia (ROBERTSON, 1917, GRIMALDI; ENGEL, 2005 *apud* NETO, 2009). L'impollinazione degli insetti ha probabilmente guidato l'evoluzione e la diversificazione delle angiosperme (LIMA, 2000).

L'impollinazione è il trasferimento dei grani di polline dalle antere di un fiore allo stigma (parte del sistema riproduttivo femminile) dello stesso fiore o di un altro fiore della stessa specie (EMBRAPA, 2013). Il granello di polline deve fecondare l'ovulo affinché si formi il frutto. Lo scambio di materiale genetico tra le specie è importante perché non esistono due organismi uguali, il che li rende più resistenti alle variazioni ambientali.

> Più attraenti sono le piante, più assidue sono le visite degli animali e maggiori sono le possibilità di successo della produzione di semi e dell'impollinazione incrociata, che aumenta la variabilità genetica e, di conseguenza, il potenziale di adattamento alle vicissitudini dell'ambiente (RAVEN, 2007).

Per attirare gli agenti biotici, le piante dispongono di vari attrattori, come nettare, polline e oli, che vengono utilizzati per nutrire e riprodurre questi animali. La segnalazione delle risorse floreali è un modo per avvisare e guidare gli agenti biotici alla presenza di cibo. Ogni segnale è adattato in base alla percezione dell'agente e tutte queste caratteristiche sono chiamate sindromi di impollinazione (NETO, 2009).

Il trasferimento del polline può avvenire nello stesso fiore - autoimpollinazione - o in fiori diversi - impollinazione incrociata. Quest'ultima può avvenire con la partecipazione di fattori biotici o abiotici. Tra le sindromi in cui sono coinvolti fattori biotici, possiamo evidenziare l'ornitofilia (uccelli), la chirotterofilia (pipistrelli) e l'entomofilia (insetti in generale); tra gli insetti troviamo i coleotteri (cantofilia), le mosche (miofilia), le api (melittofilia), le farfalle (psicofilia), le falene (fallofilia); tra quelli che dipendono da fattori abiotici troviamo l'idrofilia (acqua) e l'anemofilia (vento). Le specie che dipendono dagli animali per disperdere il polline sono chiamate zoofite.

2.3.1 Psicofilia

Psicofilia è il nome dato all'impollinazione da parte delle farfalle. I fiori impollinati dalle farfalle hanno determinate caratteristiche come: antesi diurna, corolle tubolari, fiori vistosi e poco odore. Le specie adattate all'impollinazione hanno un apparato boccale specializzato: una spirotromba, che può essere inserita nelle corolle tubolari per succhiare il nettare. I grani di polline si attaccano ai peli e alle squame e vengono trasportati all'altro fiore.

2.4 AREE DI CONSERVAZIONE PERMANENTE - APP

Un'Area di Conservazione Permanente (APP), creata dalla legge ambientale, ha lo scopo di preservare le risorse idriche, il paesaggio, la stabilità geologica, la biodiversità, proteggere il suolo e garantire il benessere delle popolazioni (BRASIL, Legge Federale 12.651/2012). Secondo Mota (1995), sebbene non siano una misura di efficienza totale, rappresentano una misura valida per preservare le risorse idriche di superficie, con i seguenti vantaggi:

- Protezione sanitaria per bacini e corsi d'acqua, impedendo l'accesso superficiale e sotterraneo agli inquinanti;
- Drenaggio dell'acqua piovana, per proteggere le aree adiacenti dalle inondazioni;
- Conservazione e promozione della vegetazione sulle sponde delle risorse idriche, garantendo la protezione della fauna e della flora tipiche. L'ombra fornita dalla vegetazione contribuisce inoltre a mantenere la temperatura dell'acqua adatta alla fauna acquatica;

- Azione preventiva contro l'erosione e il conseguente insabbiamento dei corpi idrici;
- Conservazione del paesaggio e dell'ambiente.

CAPITOLO 3

METODOLOGIA

3.1 METODOLOGIA DI RICERCA

Questa ricerca è stata condotta attraverso ricerche bibliografiche, ricerche sul campo e ricerche di laboratorio, basate sulla raccolta di esemplari nelle APP, sull'assemblaggio e sulla determinazione in laboratorio, con l'aiuto dei dati disponibili nella letteratura specializzata.

3.2 POSIZIONE DI RICERCA

Fascia di dominio dell'autostrada BR-116, da Mafra a Papanduva, SC.

3.3 DELIMITAZIONE DELLA RICERCA

3.3.1 Universo

Aree di Conservazione Permanente (APP) sulla fascia marginale dell'autostrada BR-116, che si estende da Mafra, SC (km 015 + 400) a Papanduva, SC (km 058 + 770), rappresentate dai suoi corpi idrici, flora e fauna.

3.3.2 Campione

Diversi esemplari di entomofauna di farfalle (Lepidoptera) raccolti nell'area di studio.

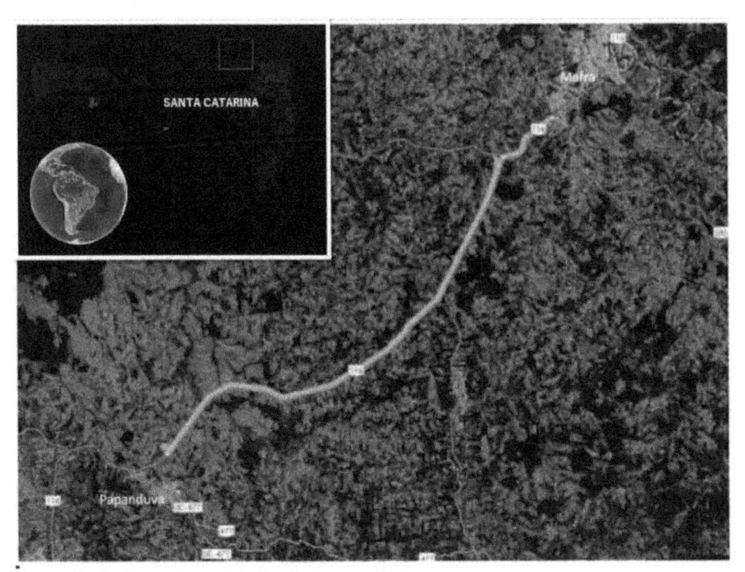

Figura 8 - Delimitazione del sito di ricerca
FONTE: Google Maps, 2014

3.3.3 Criteri di inclusione

Nell'indagine sono state incluse solo le specie di farfalle (Lepidoptera) presenti nell'area di studio.

3.3.4 Criteri di esclusione

Gli insetti di altri gruppi tassonomici e le farfalle trovate al di fuori dell'Area di Conservazione Permanente (APP) non sono stati inclusi nell'indagine.

3.3.5 Criteri di interruzione o sospensione della ricerca

La ricerca si è conclusa nella prima quindicina di ottobre 2014, dopo la stesura del rapporto CBT.

3.3.6 Analisi critica dei rischi e dei benefici

Questa ricerca ha comportato rischi per il ricercatore, come scottature solari, cadute, travolgimenti e serpenti. Per attenuare i rischi, il ricercatore ha utilizzato creme solari, calzature adeguate al campo, DPI e ha seguito le raccomandazioni del team di sicurezza del Concessionario.

L'obiettivo è stato quello di approfondire le conoscenze del Concessionario sullo stato di conservazione delle Aree di Conservazione Permanente (APS) presenti nel tracciato autostradale e di evidenziare l'importanza dei processi di impollinazione nel recupero di queste aree.

3.4 PROCEDURE METODOLOGICHE

3.4.1 Strumenti di ricerca

La ricerca è stata condotta utilizzando i seguenti strumenti e attrezzature: taccuino da campo, macchina fotografica, retino entomologico, bottiglia per l'abbattimento, buste di carta da burro per il confezionamento e il trasporto degli esemplari raccolti, spilli entomologici, pinzette, estensori per lepidotteri, forno per la disidratazione, cassettiere entomologiche, stereomicroscopio, microcomputer, stampante, etichette di raccolta e identificazione degli esemplari.

3.4.2 Procedure di ricerca bibliografica

La ricerca è stata condotta utilizzando articoli scientifici, libri, manuali e riviste relativi all'argomento proposto.

3.4.3 Procedure di ricerca sul campo

La ricerca sul campo si è svolta nelle seguenti fasi:

- Delimitazione delle aree di conservazione permanente - APP.

- Catturare e uccidere gli insetti.

- Imballare gli insetti in buste.
- Prendere nota del sito di raccolta.

3.4.4 Procedure di ricerca in laboratorio

La ricerca di laboratorio si è svolta nelle seguenti fasi:

- Depositare gli insetti in una camera umida.
- Montaggio degli insetti su barelle di Lepidoptera.
- Portare gli insetti assemblati sulla barella nella serra.
- Eliminare gli insetti dalla serra.
- Smontare le barelle;
- Determinare la famiglia di ogni insetto raccolto;
- Conservare gli insetti in scatole entomologiche.

3.5 DESCRIZIONE DELLA RICERCA SUL CAMPO

Sono state effettuate otto uscite sul campo, in date casuali a seconda del tempo, tra marzo 2014 e settembre 2014, con uno sforzo di campionamento di 27 ore. Nei giorni scelti per le raccolte, il tempo era soleggiato e con poco vento, e le raccolte sono avvenute tra le 12:00 e le 17:00.

Durante le uscite, gli insetti sono stati catturati con una rete entomologica e uccisi con una camera di morte montata in un barattolo di vetro con uno strato di carta assorbente, uno strato di gesso imbevuto di acetato di etile ($C_4H_8O_2$); una volta morti, gli insetti sono stati confezionati in buste triangolari di carta da macellaio (figura 12) e debitamente identificati.

Figura 9 - Raccolta di farfalle
FONTE: SCHELBAUER, 2014

Figura 10 - Rimozione degli insetti dalla rete entomologica
FONTE: SCHELBAUER, 2014

Figura 11 - Abbattimento di esemplari di Lepidotteri con l'ausilio di una bottiglia di abbattimento
FONTE: SCHELBAUER, 2014

Figura 12 - Conservazione delle farfalle nelle buste
FONTE: SCHELBAUER, 2014

Dopo ogni raccolta, gli insetti vengono conservati in sacchetti di plastica ben chiusi in frigorifero per evitare che i microrganismi si riproducano fino al momento dell'assemblaggio.

Sono stati raccolti 138 insetti in 16 aree di conservazione permanente (APP).

Tabella 1 - Insetti raccolti per Area di Conservazione Permanente - APP

Comune	Km	Numero di collezioni	Numero di insetti raccolti
Mafra	015 + 400	3	19
Itaiopoli	020 + 950	3	16
Itaiopoli	021 +100	1	7
Itaiopoli	021 +190	1	5
Itaiopoli	021 + 435	2	14
Itaiopoli	021 + 450	1	7
Itaiopoli	026 + 780	1	2
Itaiopoli	026 + 950	3	16
Itaiopoli	029 +810	1	9
Itaiopoli	031 +815	2	12
Itaiopoli	037 + 755	1	2
Papanduva	046 + 570	1	4
Papanduva	058 + 265	2	10
Papanduva	058 + 770	1	8
Papanduva	061 + 900	1	3
Papanduva	061 + 925	1	4

FONTE: SCHELBAUER, 2014

3.6 DESCRIZIONE DELLA RICERCA DI LABORATORIO

Dopo aver raccolto tutti gli esemplari, questi sono stati montati. Gli insetti morti da più di due giorni e sclerotizzati sono stati messi in una camera umida per 24 ore in modo che le strutture diventassero malleabili. Dopo essere stato rimosso dalla camera umida, l'insetto è stato fissato a un perno entomologico (Figura 13;A) adeguato alle sue dimensioni e collocato al centro della barella (Figura 6;H), fissando le ali con strisce di carta da macellaio (Figura 13;E) e spilli da mappa (Figura 13;D), posizionando il bordo posteriore dell'ala anteriore a un angolo di 90° rispetto al corpo dell'insetto; le antenne e l'addome sono stati posizionati con l'aiuto di spilli (Figura 13;B). Le pinzette (Figura 13;F) vengono utilizzate per fissare il perno entomologico all'insetto e l'insetto al divaricatore, nonché per aprire le ali, regolare le zampe e le antenne, evitando i danni causati dal contatto diretto con le dita.

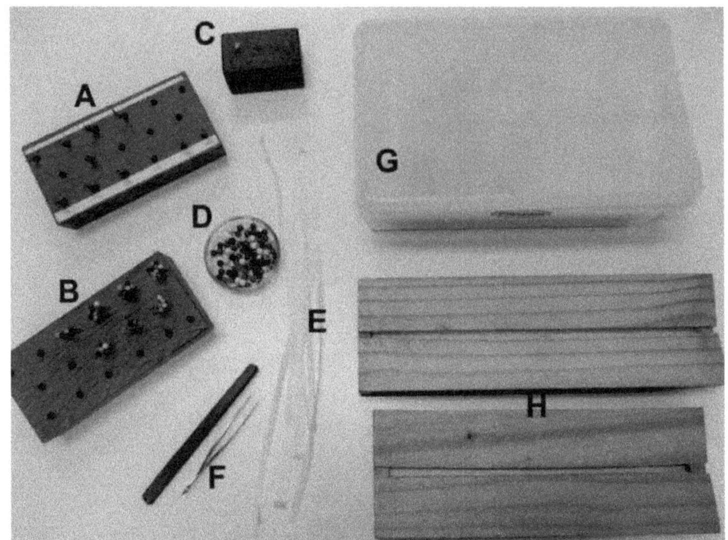

Figura 13 - Attrezzatura utilizzata per l'assemblaggio dei Lepidotteri A. Spilli entomologici; B. Spilli per il posizionamento degli insetti; C. Misure per il posizionamento dell'insetto; D. Spilli per il fissaggio delle ali; E. Strisce per il fissaggio delle ali; F. Pinzette; G. Camera umida; H - Barelle per lepidotteri
Fonte: SCHELBAUER, 2014

Figura 14 - Montaggio dell'esemplare sulla barella per Lepidotteri
FONTE: SCHELBAUER, 2014

Dopo l'assemblaggio, le barelle vengono messe in forno per circa 24 ore ad una temperatura di 35°C.

Figura 15 - Serra con fontane
FONTE: SCHELBAUER, 2014

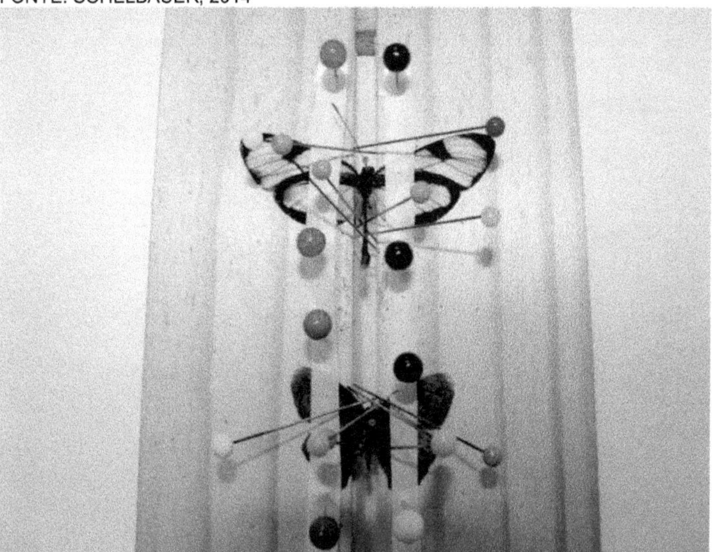

Figura 16 - Montaggio di esemplari di Lepidotteri
FONTE: SCHELBAUER, 2014

Dopo l'asciugatura in forno, l'appendice è stata accuratamente rimossa e smontata per evitare che si rompesse; prima sono stati rimossi gli spilli dalle ali e dall'addome, poi le strisce di carta pergamena dalle ali e gli altri spilli. Se l'appendice si rompeva, veniva reincollata con uno smalto per unghie incolore.

Gli insetti assemblati e disidratati sono stati etichettati con i dati di raccolta: Paese,

Stato, Comune, chilometro, data di raccolta, nome del raccoglitore. Gli insetti sono stati conservati in scatole entomologiche fino alla loro determinazione (figura 8).

BRASIL, SC. ITAIÓPOLIS
01.III.2014
BR – 116, km 021 + 450
K. SCHELBAUER, col.

Figura 17 - Modello di etichetta: 2 x 1 cm
FONTE: SCHELBAUER, 2014

Figura 18 - Confezionamento degli insetti in una cassetta entomologica
FONTE: SCHELBAUER, 2014

Una volta preparati gli esemplari, il ricercatore ha iniziato a determinarli utilizzando chiavi artificiali specifiche per i Lepidotteri. Le consolidate chiavi presentate da Borror e DeLong (1969) sono state utilizzate a preferenza di altre alternative considerate sperimentali (TRIPLEHORN e JOHNSON, 2011). Le strutture sono state esaminate al microscopio stereoscopico QUIMIS, modello Q714Z2.

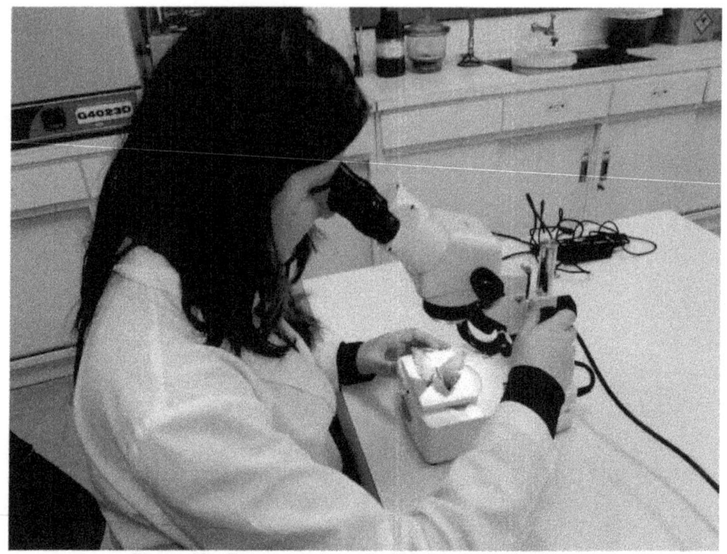

Figura 19 - Determinazione degli esemplari di lepidotteri
FONTE: SCHELBAUER, 2014

CAPITOLO 4

ANALIZZARE E INTERPRETARE I RISULTATI

Tra marzo e settembre 2014 sono state effettuate otto spedizioni di campo nelle APP lungo l'autostrada BR-116, da Mafra a Papanduva, SC, e sono stati raccolti 138 individui di nove famiglie di lepidotteri (grafico 1).

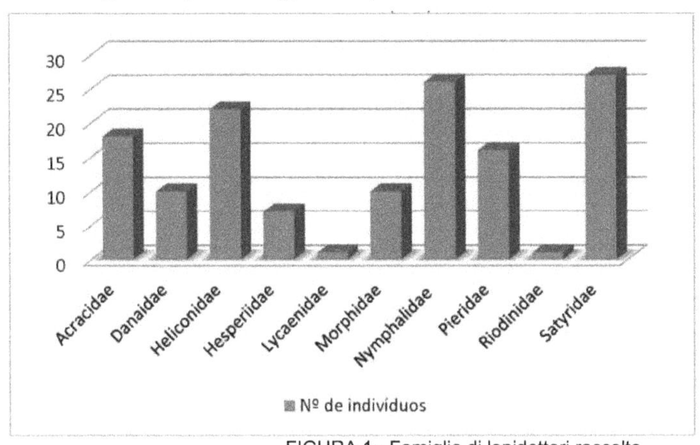

FIGURA 1 - Famiglie di lepidotteri raccolte
Fonte: SCHELBAUER, 2014

La famiglia più rappresentativa è stata Nymphalidae, con 26 esemplari raccolti, seguita da Heliconidae con 22 esemplari. Le famiglie con il minor numero di esemplari raccolti sono state Lycaenidae e Riodinidae, con un solo esemplare ciascuna.

Descrizione della famiglia

Le seguenti famiglie sono state descritte sulla base della disposizione di McDunnough (1938, 1939) e Forbes (1923, 1948, 1954) con alcune modifiche presentate da Borror e DeLong (1969).

Famiglia Nymphalidae - zampe anteriori molto ridotte, solo le zampe medie e posteriori sono usate per camminare, senza artigli. La cella discale può essere aperta o imperfettamente chiusa. Vena radiale sull'ala anteriore con 5 rami.

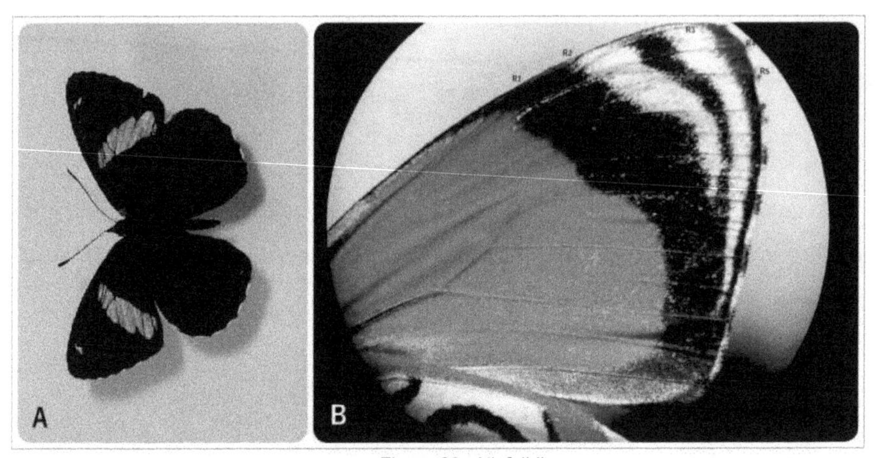

Figura 20 - Ninfalidi
A. Aspetto generale; B. Ala con 5 rami della vena radiale FONTE: SCHELBAUER, 2014

Famiglia Hesperiidae - noti come diavoletti per il loro volo veloce ed erratico. Sono per lo più piccoli e dal corpo robusto. Le antenne sono separate alla base e ricurve all'apice o uncinate; nessuno dei cinque rami di R sulle ali anteriori è peduncolato e tutti hanno origine dalla cellula discale.

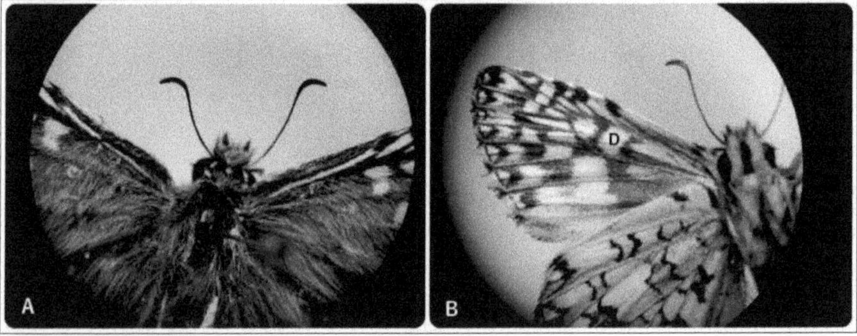

Figura 21 - Hesperiidae
A. Antenne separate alla base e a forma di uncino; B. I rami di R hanno origine nella cellula discale (D).
FONTE: SCHELBAUER, 2014

Famiglia Pieridae - bianchi, germogli. Sono di dimensioni medio-piccole, di colore bianco o giallastro con macchie nere sul margine basale delle ali. Le zampe anteriori sono ben sviluppate e le chele tarsali sono bifide. La vena radiale sull'ala anteriore ha di solito tre o quattro rami (raramente cinque).

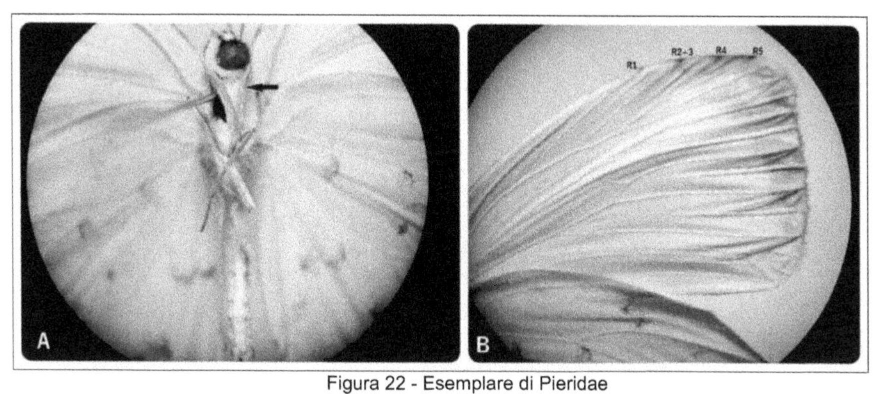

Figura 22 - Esemplare di Pieridae
A. Arti anteriori normali (freccia); B. Rami di vena R FONTE: SCHELBAUER, 2014

Famiglia Heliconiidae - ali strette e allungate. La vena omerale delle ali posteriori si incurva verso la base dell'ala. Ali densamente ricoperte di squame opache dai colori vivaci.

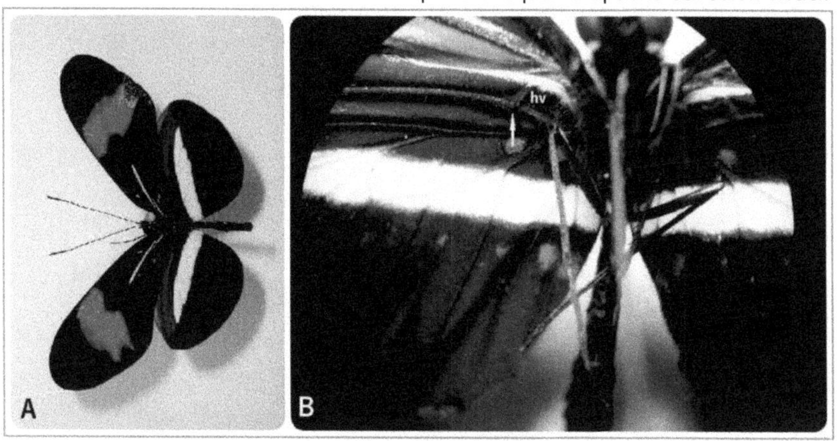

Figura 23 - Heliconiidae
A. Aspetto generale; B. Vena omerale (hv) che si incurva verso la base dell'ala (freccia) FONTE: SCHELBAUER, 2014

Famiglia Acracidae - hanno un'apertura alare compresa tra 5 e 6 cm; vena omerale che si incurva verso la punta dell'ala e cellule discali chiuse su entrambe le ali.

Figura 24 - Acracidi

A. Aspetto generale; B. Cellula discale (D) chiusa su entrambe le ali, vena omerale (hv) che si incurva verso la punta dell'ala (freccia).

FONTE: SCHELBAUER, 2014

Famiglia Danaidae - di solito dai colori vivaci. Zampe anteriori piccole e prive di artigli, non utilizzate per la locomozione. Ala anteriore R con cinque rami; cellula discale chiusa. Piccola terza vena anale (3A) sulle ali anteriori.

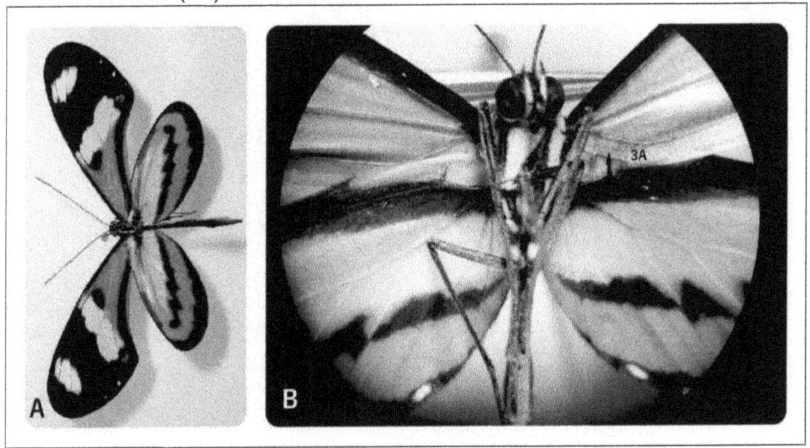

Figura 25 - Danaidi

A. Aspetto generale; B. 3A dell'ala anteriore presente (freccia) FONTE: SCHELBAUER, 2014

Famiglia Lycaenidae - piccole farfalle dai colori vivaci. Corpo snello e antenne striate di bianco, presentano anche una linea di scaglie bianche intorno agli occhi. Le ali anteriori hanno una R con tre o quattro rami e la M1 ha origine all'apice o in prossimità di esso. Le ali posteriori sono prive di vena omerale.

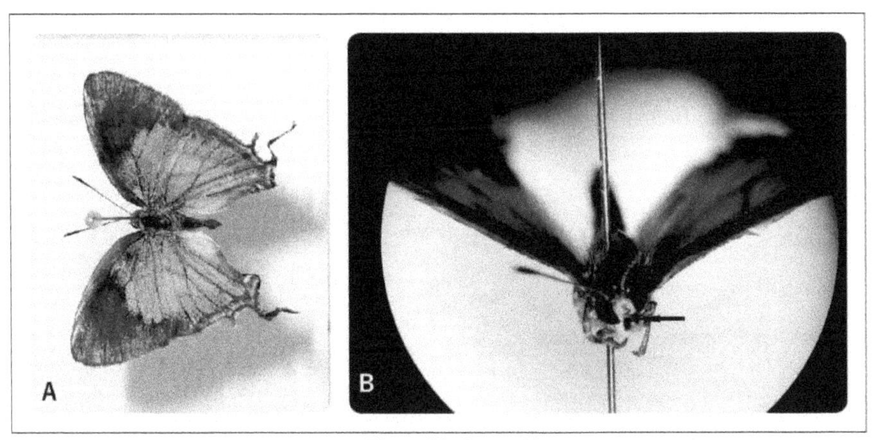

Figura 26 - Lycaenidae
A. Aspetto generale; B. Linea di scaglie bianche intorno agli occhi (freccia) FONTE: SCHELBAUER, 2014

Famiglia Satyridae - di dimensioni medio-piccole, di colore grigiastro o marrone con macchie ocellari sulle ali. Alcune costole dell'ala anteriore sono piuttosto dilatate alla base; la dilatazione antennale si allarga gradualmente. Cellula discale chiusa sulle ali posteriori.

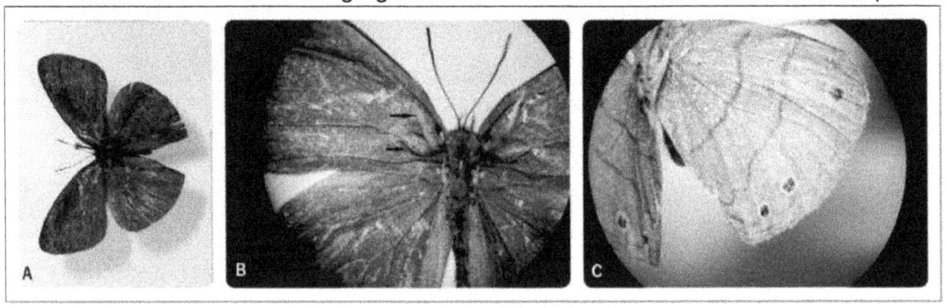

Figura 27 - Satyridae
A. Aspetto generale; B. Vene anteriori molto dilatate alla base (freccia); C. Macchie ocellari FONTE: SCHELBAUER, 2014

Famiglia Morphoidae - colori vivaci, a volte metallici, con una predominanza di blu. La cellula discale è aperta sulle ali posteriori e nettamente chiusa su quelle anteriori.

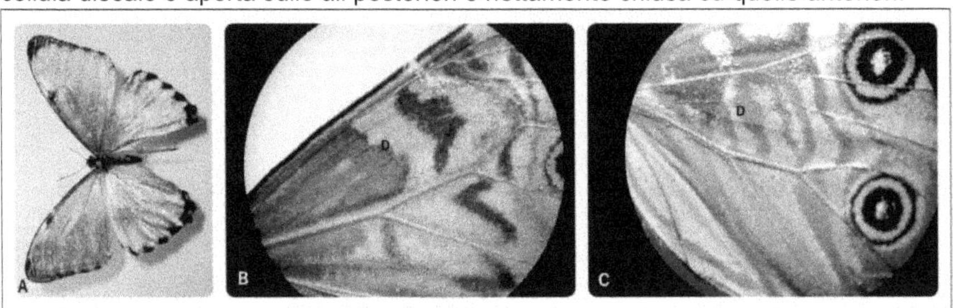

Figura 28 - Morphoidae
A. Aspetto generale; B. Ala anteriore con cella discale chiusa (D); C. Ala posteriore con cella discale chiusa

(D)

FONTE: SCHELBAUER, 2014

Famiglia Riodinidae - farfalle di colore scuro; ali posteriori con una vena costale ispessita nella regione dell'angolo omerale; Sc con una spina basale (vena omerale).

Figura 29 - Rhodinidae

A. Aspetto generale; B. Ala posteriore C che si ispessisce verso l'angolo omerale e Sc con spina basale (vena omerale).

Fonte: SCHELBAUER, 2014

TABELLA 1 - Famiglie e numero di individui raccolti per APP

	015 + 400	020 + 950	021 + 100	021 + 190	021 + 435	021 + 450	026 + 780	026 + 950	029 + 810	031 + 815	037 + 755	046 + 570	058 + 265	058 + 770	061 + 900	061 + 950
Acracidi	8				2	1		1	1	2			3			
Danaidae		1	2	1	1					2			1	1	1	
Hesperiidae	2							2			1	1	2			
Heliconidae	2	2	1	1	2	2		5	1	2				3		
Lycaenidae													1			
Morphoidae			3	2	1			1		1		1		1		
Ninfalidi	3	4		1	5	2			7	1			2	1		
Pieridae	4	5				1		1		2		2			1	
Riodinidi														1		
Satyridae		4	1		3	1	2	6		2	1		1	1	1	4
Numero totale di famiglie	**5**	**5**	**4**	**4**	**6**	**5**	**1**	**6**	**3**	**7**	**2**	**3**	**6**	**6**	**3**	**1**
Numero totale di	**19**	**16**	**7**	**5**	**14**	**7**	**2**	**16**	**9**	**12**	**2**	**4**	**10**	**8**	**3**	**4**

individui																

Fonte: SCHELBAUER, 2014

Analizzando la Tabella 1, si nota che l'Area di Conservazione Permanente (APP) con la maggiore varietà di famiglie è quella al km 031 + 815, con 7 famiglie, seguita dalle APP al km 021 + 435, al km 026 + 950, al km 058 + 265 e al km 058 + 770, con 6 famiglie ciascuna. Le APS con la minore varietà di famiglie sono state quelle al km 026 + 780 e al km 061 + 950; tuttavia, in ognuna di queste ultime due è stata effettuata una sola raccolta, come mostrato nella Tabella 1.

CAPITOLO 5

CONSIDERAZIONI FINALI

Tra marzo e settembre 2014 sono state effettuate otto spedizioni di campo nelle APP lungo l'autostrada BR-116, da Mafra a Papanduva, SC, e sono stati raccolti 138 individui di dieci famiglie di Lepidotteri.

L'APP al km 031 + 815 ha mostrato la maggiore diversità di famiglie (Acracidae, Danaidae, Heliconidae, Morphoidae, Nymphalidae, Pieridae, Satyridae).

Le APP al km 026 + 780 e al km 061 + 925 hanno mostrato una minore varietà, con tutti gli esemplari appartenenti alla famiglia Satyridae, forse perché è stata effettuata una sola spedizione in ciascuna di queste APP.

È stato possibile registrare la presenza di 10 famiglie di Lepidotteri nel tratto: Acracidae, Danaidae, Hesperiidae, Heliconidae, Lycaenidae, Morphoidae, Nymphalidae, Pieridae, Riodinidae e Satyridae. La famiglia più rappresentativa è quella dei Nymphalidae.

Va sottolineato che maggiore è la diversità degli individui e maggiore è la loro popolazione, maggiore è il trasporto di polline tra i frammenti forestali, che aumenta la probabilità di fecondazione dei fiori e la conseguente produzione di frutti e semi, aspetti auspicabili per il ripristino ambientale.

CAPITOLO 6

RIFERIMENTI

BORROR, D.J. & DELONG, D.M. **Studio degli insetti.** San Paolo, Edgard Blucher, 1969.

BRASILE. Costituzione (2012). Legge n. 12.651, del 25 maggio 2012. **Prevede la protezione della vegetazione autoctona**: legge federale. Disponibile all'indirizzo: <www.planalto.gov.br/ccivil_03/_Ato2011/2014/2012/Lei/L12651.htn>. Accesso: 12 marzo 2014.

DA SILVA, Gabriela Corso. 2008. **DIVERSITÀ DELLE FARFALLE NINFALIDI NELLA FORESTA ATLANTICA DEL PARCO MUNICIPALE LAGOA DO PERI, FLORIANÓPOLIS, SC.** Disponibile all'indirizzo: <http://www.ccb.ufsc.br/biologia/TCC-BIOLOGIA-UFSC/TCCGabrielaCorsodaSilvaBioUFSC-08-2.pdf> Accesso: 13 aprile 2014.

SOCIETÀ DI RICERCA AGRICOLA BRASILIANA - EMBRAPA. **Impollinazione.** Disponibile all'indirizzo: <http://www.cpamn.embrapa.br/apicultura/polinizacao.php> Accesso: 13 settembre 2014.

MAPPE DI GOOGLE. Da **Mafra a Papanduva.** 2014. Disponibile all'indirizzo: https://www.google.com.br/maps Accesso: 02 ottobre 2014.

HICKMAN JUNIOR, Cleveland P.; ROBERTS, Larry S.; LARSON, Allan. **Principi integrati di zoologia.** 11.ed. Rio de Janeiro: Guanabara Koogan, 2009.

LIMA, Cintia. **Fiori e insetti: l'origine dell'entomofilia e il successo delle angiosperme.** Disponibile presso: <http://repositorio.uniceub.br/bitstream/123456789/2386/2/9508967.pdf> Accesso: 18 settembre 2014.

MOTA, Suetônio. **Preservazione e conservazione delle risorse idriche**. Rio de Janeiro: ABES, 1995
Neto, Laércio Peixoto do Amaral. **BIOLOGIA DELLA POLLINIZZAZIONE: INTERAZIONI TRA APE (Hym., Apoidea) E FIORI CON UCCISIONI INVERTITE NELLE FABACEAE.** 2009. Disponibile a: http://www.iap.pr.gov.br/arquivos/File/Pesquisa%20em%20UCs/Projetos%20de%20Pesquisas%20Autorizados%20em%202009/INTERACOES_ENTRE_ABELHAS_E_FABACEAE.pdf> Accessed on: 22 Sep 2014.

RAFAEL, J.A.; MELO, G.A.R.; CARVALHO, C.J.B.; CASARI, S.A.; CONSTANTINO, R. (Org.). **Insetti del Brasile: diversità e tassonomia.** Holos, Editora, Ribeirão Preto, 2012.

RAVEN, P.H.; EVERT, R.F. & EICHHORN, S.E. **Plant Biology**. 7ª . ed. Coord. Trad. J.E.Kraus. Editora Guanabara Koogan, Rio de Janeiro. 2007.

SANDES, Luiz Cláudio Mattos; PALUCH, Márlon. **Elenco preliminare delle farfalle (Papilionoidea e Hesperioidea) del Parco statale di Dois Irmãos, Recife, PE.**

Disponibile presso:
http://www.contabeis.ufpe.br/propesq/images/conic/2009/anais%20(E)/conic/pibic/20/092041139SCPP.pdf> Accesso: 13 marzo 2014.

TRIPLEHORN, C.A. & JOHNSON, N.F. **Studio degli insetti.** 7a edizione. Cengage Learning. San Paolo. 2011.

TORRE, Rafael. **Morfologia esterna degli insetti entomologia generale.** Disponibile all'indirizzo: <http://slideplayer.com.br/slide/1818216/> Accesso: 19 ott. 2014

ALLEGATI

ALLEGATO 1 - DICHIARAZIONE

Habilitação | Grau

Português e Literaturas
de Língua Portuguesa — 1º e 2º

Inglês e Literaturas
de Língua Inglesa — 1º e 2º

Curitiba, 14 / 12 / 1978

CARLOS CECY
Delegado Regional

MINISTÉRIO DA EDUCAÇÃO E CULTURA
SECRETARIA DE APOIO ADMINISTRATIVO
Delegacia Regional (DR- 9)
Certificado de Registro de Professor

REGISTRO "L" – Nº 267.650

NOME Elenir de Fátima Ruthes

CURSO Letras: Potuguês-Inglês

ESCOLA Fac.de C.e Letras de Mafra-SC

PROCESSO Nº 2387-DR.9-78

I want morebooks!

Buy your books fast and straightforward online - at one of world's fastest growing online book stores! Environmentally sound due to Print-on-Demand technologies.

Buy your books online at
www.morebooks.shop

Compra i tuoi libri rapidamente e direttamente da internet, in una delle librerie on-line cresciuta più velocemente nel mondo! Produzione che garantisce la tutela dell'ambiente grazie all'uso della tecnologia di "stampa a domanda".

Compra i tuoi libri on-line su
www.morebooks.shop

info@omniscriptum.com
www.omniscriptum.com